HISTOIRES SUPER DRÔLES

Texte : Jeanne Olivier

Illustration de la couverture :
Philippe Germain

EH Héritage jeunesse

HISTOIRES SUPER DRÔLES

Illustration de la couverture : Philippe Germain
Conception graphique de la couverture : François Trottier

Photocomposition : Reid-Lacasse

Dépôts légaux: 2e trimestre 1997
Bibliothèque nationale du Québec
Bibliothèque nationale du Canada

ISBN: 2-7625-8728-X   Imprimé au Canada

LES ÉDITIONS HÉRITAGE INC.
300, rue Arran, Saint-Lambert (Québec) J4R 1K5
Téléphone: (514) 875-0327
Télécopieur: (514) 672-5448
Courrier électronique: heritage@mlink.net

À tous ceux et celles
qui aiment collectionner,
écouter et raconter des blagues.

Le prof : Quand arrive le temps des fêtes, il faut aller dans notre cœur et penser à ce qui nous rend heureux.

Lysiane : Je suis heureuse d'avoir des bons parents.

Le prof : Oui, c'est bien.

Henri : Je suis heureux d'être en santé.

Le prof : Tu as raison, c'est un grand bonheur. Et toi, Magali, as-tu quelque chose à dire?

Magali : Oui, je suis très heureuse de ne pas être une dinde!

* * *

Une petite fourmi rencontre une grosse fourmi et lui dit :
— Vous savez, vous êtes formidouble!

* * *

— Sais-tu ce qui peut traverser la rivière sans nager?
— Non.
— Le pont.

* * *

La mère : Mais qu'est-ce que c'est que cette grosse bosse sur ta tête?

Henri : C'est Sonia qui m'a lancé des petits pois.

La mère : Ce sont des petits pois qui t'ont fait cette si grosse bosse?

Henri : Ouais, mais il faut dire qu'ils étaient encore dans la boîte!

* * *

Maxime : Connais-tu l'histoire du nigaud qui avait de la difficulté à endormir ses enfants le soir?

Audrey : Non.

Maxime : Il leur chantait des chansons à répondre!

* * *

François : Connais-tu la différence entre une fraise et un nouveau conducteur?

Sophie : Non.

François : Il n'y en a aucune. Les deux se retrouvent dans le champ!

* * *

Valérie revient de son premier jour d'école.

— Alors, ma chérie, qu'as-tu appris aujourd'hui?

— Bof... pas grand-chose. Il faut que j'y retourne demain!

* * *

La famille de Francis est en train de pique-niquer.

— Papa! papa! tu as...

— Franchement, Francis, je suis en train de parler à ta mère, ne me coupe pas la parole! Tu me parleras quand j'aurai fini de dire ce que j'avais à dire.

Quand le père a fini sa phrase, il demande à Francis ce qu'il avait à dire.

— Non, laisse faire, papa, trop tard! Tu as déjà mangé le ver qui était dans ta salade.

* * *

— Hier soir j'ai participé à un concert.
— Comment ça s'est passé?
— Plutôt mal.
— Pourquoi?
— Quand je me suis assise au piano, tout le monde a éclaté de rire.
— Tu as si mal joué?
— Non, il n'y avait pas de banc...

* * *

Le prof : Qu'as-tu fait pendant tes vacances?
Jérémie : Je suis allé chez mon grand-père.
Le prof : Ton grand-père paternel ou ton grand-père maternel?
Jérémie : Euh... mon grand-père colonel!

* * *

On a trouvé deux gars complètement gelés au ciné-parc. Ils étaient allés voir le film «Fermé pour l'hiver»...

* * *

Monsieur Homier va voir l'optométriste.

— Alors, docteur, que voyez-vous?

— Je vois que vous avez mangé du spaghetti pour dîner.

— Wow! C'est incroyable, c'est vrai! Vous avez vu ça dans mes yeux?

— Non, sur votre cravate!

* * *

Luc Bleau : Quand j'écoute la météo, je ne suis jamais satisfait de ce que j'entends.

Éric Pilon : Moi, j'ai un système infaillible.

Luc Bleau : Qu'est-ce que c'est?

Éric Pilon : C'est le système «bout de corde».

Luc Bleau : Et ça consiste en quoi?

Éric Pilon : J'ai accroché un bout de corde sur mon balcon. Quand il est chaud, c'est qu'il fait soleil. Quand il bouge, c'est parce que le temps est venteux. Quand il est dur, c'est parce qu'il fait très froid; et quand il est mouillé, c'est parce qu'il pleut!

* * *

Deux nigauds voyagent en train.

— Le conducteur est vraiment très fort! dit l'un d'eux.

— Pourquoi?

— Chaque fois qu'on approche d'un tunnel, il vise parfaitement bien et envoie le train en plein milieu!

* * *

Drrrrring!

La téléphoniste : Allô! Ici Air Tourisme!

Le voyageur : Pouvez-vous me dire combien de temps prend l'avion pour aller de Montréal à New York?

La téléphoniste : Un instant, monsieur...

Le voyageur : Merci, et bonjour!

* * *

Quelle est la danse préférée des poules?

La poulka!

* * *

Un homme se promène dans la jungle. Tout à coup, il tombe face à face avec un lion. Il prend ses jambes à son cou et s'enfuit. Il contourne un arbre, deux arbres, trois arbres, le lion le suit toujours.

Il passe à travers un buisson, saute par-dessus un ruisseau et se retourne, complètement essoufflé. Le lion le poursuit encore. L'homme reprend sa course mais une branche le fait trébucher. Il s'affale par terre de tout son long et ferme les yeux, attendant la mort.

Il entend des bruits de pas à côté de lui et sent une patte sur son dos. Puis une voix lui dit :

— Tag!

* * *

Maxime : Connais-tu la différence entre un journal et un four micro-ondes?

Andréa : Non.

Maxime : As-tu déjà essayé de tuer une mouche avec un micro-ondes?

* * *

Patrick : Pourquoi mets-tu de l'insecticide dans ton bain?

Marie-Michèle : C'est parce que j'ai des fourmis dans les jambes!

* * *

— Quelle heure est-il lorsque l'horloge sonne treize coups?

— Je ne sais pas.

— L'heure de la faire réparer.

* * *

— Comment appelle-t-on deux squelettes qui font la conversation?

— Je ne sais pas.

— Des os parleurs!

* * *

— Mon voisin s'est lancé dans l'élevage de poules.

— Est-ce que ses affaires vont bien?

— Non, pas tellement. Il a fait faillite.

— Pourquoi?

— Parce qu'il plantait les œufs trop profondément!

* * *

La mère : Qu'est-ce que tu as appris
aujourd'hui à l'école?

Le garçon : J'ai
appris que tu t'es
complètement trompée
dans les problèmes de
mathématiques que
tu as faits pour moi
hier soir!

* * *

15

Après la fin de semaine, Pierre revient à l'école plutôt amoché.

— Pauvre toi! lui dit son prof. Que t'est-il arrivé à la tête?

— Je me suis fait piquer par une guêpe.

— Mais pourquoi un si gros pansement pour une petite piqûre de guêpe?

— C'est parce que mon frère l'a tuée avec son bâton de baseball...

* * *

— Quelle est la meilleure chose qu'on peut mettre dans une tarte?

— Ses dents!

* * *

— Mon grand frère collectionne les ampoules brûlées.

— Pourquoi?

— Pour éclairer sa chambre noire!

* * *

Au restaurant :

— Garçon!

— Oui madame?

— Apportez-moi un cube de sucre pour mon café, s'il vous plaît.

— Mais madame, je vous en ai apporté dix!

— Oui, mais cette fois-ci, j'en veux un de qualité. Les autres ont tous fondu!

* * *

La mère : Ah! Ah! Voilà que je t'y prends à mettre ton doigt dans le pot de confiture!

Aline : Mais non, maman, je ne mets pas mon doigt dedans, je l'enlève.

* * *

17

Un monsieur assis dans un parc arrête un petit garçon qui passait par là.

— Excuse-moi, mon petit, quelle heure est-il?

— Je ne sais pas.

— Euh... y a-t-il une horloge dans ce parc?

— Je ne sais pas.

— Sais-tu à quelle heure a lieu le concert cet après-midi?

— Je ne sais pas.

— Est-ce qu'il y a un gardien dans ce parc qui pourrait répondre à mes questions?

— Je ne sais pas.

— Mais dis donc, toi, y a-t-il des choses que tu sais?

— Oui, je sais que vous êtes assis sur un banc qui vient juste d'être peint!

* * *

— Pourquoi les gourmands aiment-ils les orages?

— Je ne sais pas.

— Parce qu'ils raffolent des éclairs.

* * *

La mère : As-tu balayé la cuisine, comme je te l'avais demandé?

Thomas : Oui maman.

La mère : Tu es sûr?

Thomas : Mais oui! Si tu ne me crois pas, tu peux vérifier. J'ai mis toute la poussière sous le tapis.

* * *

Sylvain : Quel cours préfères-tu à l'école?

Catherine : La cour de récréation!

* * *

Le prof : Louis, je t'ai entendu traiter Éloi d'imbécile. Est-ce que tu le regrettes?

Louis : À vrai dire, je regrette de ne pas le lui avoir dit avant!

* * *

Quel animal adore les jeunes filles?

Le croc-Odile!

* * *

Monsieur Côté voyage avec son épouse et ses enfants. C'est lui qui conduit la voiture et sa femme suit le tracé sur la carte routière et lui donne les instructions.

Madame : Il faudra tourner à gauche à la prochaine route.

Monsieur : Est-ce que c'est loin?

Madame : À peu près un centimètre!

* * *

Un champion boxeur se lance dans la carrière de chanteur.

Le producteur de spectacles qui l'entend dit à son agent :

— Mais voyons! Qui a fait croire à cet homme qu'il pouvait chanter?

— Personne, répond l'agent. Mais il n'y a personne non plus qui ose lui dire le contraire!

* * *

Un homme entre chez le psychiatre :

— Bonjour docteur.

— Bonjour monsieur Roberge. Assoyez-vous. Alors votre femme me dit que vous vous prenez pour Arnold Schwarzenegger.

— Pas du tout, docteur! C'est ma femme qui me prend pour monsieur Roberge!

* * *

La classe de Joëlle visite une ferme. Un des élèves demande au fermier :

— Mais que faites-vous donc?

— Je mets du fumier sur mes fraises, mon petit.

— C'est plutôt étonnant! Moi, je mets du sucre!

* * *

Quelle est la différence entre la lettre A et un clocher d'église?

La lettre A c'est la voyelle, et le clocher c'est là qu'on sonne (la consonne)!

* * *

Sabrina : Pourquoi apportes-tu une bouée de sauvetage à l'école?

Manon : Pour être sûre de ne pas couler!

* * *

— Sais-tu quel est le comble de la vengeance?

— Non.

— C'est de mettre de la poudre à gratter à un maringouin!

* * *

Qu'est-ce qu'on peut repasser sans sortir le fer?

Nos leçons!

* * *

Camille rend visite à son amie Linda. Mais les choses tournent mal et les copines commencent à se dire les pires bêtises!

— Franchement! s'exclame Camille. Tu sauras que je ne suis pas venue ici pour me faire insulter!

— Ah non? Où vas-tu d'habitude pour te faire insulter?

* * *

Dans la classe :

— Je suis tannée, dit Diana à son professeur. Simon n'arrête pas de m'imiter!

— Simon, veux-tu arrêter de faire l'imbécile!

* * *

Maude : J'ai un secret pour toi.
Nicolas : Qu'est-ce que c'est?
Maude : Je regrette, je ne peux pas te le dire, c'est un secret!

* * *

Dans un cours de cuisine :

— Et quand vous servez une tête de cochon, n'oubliez pas le persil dans les oreilles et la pomme dans la bouche.

— Monsieur, dit un élève au prof, vous ne trouvez pas qu'on va avoir l'air fou comme ça?

* * *

Comment s'appelle la plus vieille habitante de l'Europe?

Sarah Tatine.

* * *

Odile : Vous nous avez dit ce matin que les fourmis sont des insectes qui sont toujours occupés.

Le prof : Oui, c'est vrai.

Odile : Alors il y a quelque chose que je ne comprends pas. Si elles sont si occupées que ça, pourquoi elles sont toujours là quand on fait un pique-nique?

* * *

Au restaurant :

— Garçon! Ça fait une demi-heure que j'attends!

— Cher monsieur, si vous étiez aussi pressé, pourquoi avez-vous commandé une soupe à la tortue?

* * *

Guylaine : Connais-tu l'histoire de la varicelle?

Alain : Non, qu'est-ce que c'est?

Guylaine : Ah, j'aime mieux ne pas te la raconter, c'est trop contagieux!

26

La mère : Qu'est-ce que tu fais assis sur le chat?

Julien : Mais maman, c'est mon prof qui nous a demandé de faire une recherche sur notre animal préféré!

* * *

Au restaurant :
— Je vais prendre une poitrine de poulet sans frites, s'il vous plaît.
— Je suis désolé, monsieur, il ne reste plus de frites. Est-ce que je peux vous servir une poitrine de poulet sans patates pilées?

* * *

Jessica : Sais-tu ce que ça fait un pou sur une cloche?
Alice : Non.
Jessica : Un pouding!

* * *

— Docteur! Docteur! Je ne sais pas ce que j'ai! Partout où je me touche du doigt, j'ai mal!

Le médecin prend des radiographies et revient voir son patient.

— Alors, docteur, qu'est-ce que j'ai?

— Une fracture du doigt...

* * *

Une cigale, une fourmi et un mille-pattes se donnent rendez-vous au restaurant. La cigale et la fourmi attendent depuis bientôt une heure. Enfin elles voient leur ami mille-pattes arriver tout essoufflé.

— Mais où étais-tu? lui demande la fourmi.

— Il y a une pancarte dehors à la porte : Essuyez vos pieds s.v.p.!

* * *

Que dit le huit au zéro?
Tiens, tu as mis une ceinture, aujourd'hui?

* * *

Sandrine : Marc, as-tu des trous dans tes vêtements?

Marc : Mais non, voyons!

Sandrine : Alors, comment fais-tu pour les mettre?

* * *

29

— Connais-tu la blague de la limousine?

— Non.

— Je ne peux pas te la conter, elle est trop longue!

* * *

Deux poissons entrent en collision :

— Excuse-moi, j'avais de l'eau dans les yeux!

* * *

— Sais-tu comment on dit concierge en russe?

— Non.

— Itor Lamop.

* * *

— Son frère l'aide dans son travail. Sais-tu comment il s'appelle?

— Non.

— Itien Lso!

* * *

— Connais-tu l'histoire du petit fantôme qui passait toujours par la porte?
— Non.
— Un beau jour, sa mère lui a demandé de passer par le mur, comme tout le monde!

* * *

Que disent deux chiens qui se rencontrent à Tokyo?
Jappons!

* * *

— Papa?
— Oui, Marie-Pierre?
— Aujourd'hui, à l'école, j'ai eu une punition parce que j'ai refusé de dénoncer quelqu'un.
— Et tu as été punie pour ça? Tu sais, je trouve que tu as eu raison, je t'appuie dans ta décision. Mais qu'est-ce que ton prof voulait que tu lui dises au juste?
— Qui a tué Jules César.

* * *

C'est l'hiver, deux nigauds discutent à l'arrêt d'autobus :

— Ahhh! J'aimerais donc ça qu'il fasse au moins 30 degrés!

— Es-tu fou! On aurait bien trop chaud avec nos manteaux d'hiver!

* * *

Un tire-bouchon va voir le médecin :

— Docteur, suis-je normal? Chaque fois que j'approche d'une bouteille, j'ai la tête qui tourne!

* * *

Le père : Pourquoi as-tu dit à tes amis que ta sœur est une imbécile?

Patrice : Je n'ai jamais dit ça!

Le père : Tu me le jures?

Patrice : Bien sûr, papa! Jamais je ne dévoilerais un secret de famille!

* * *

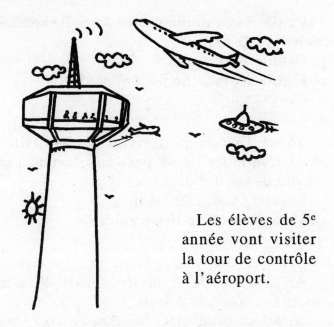

Les élèves de 5e année vont visiter la tour de contrôle à l'aéroport.

— Savez-vous, demande le guide, combien d'atterrissages les pilotes doivent réussir avant d'obtenir leur diplôme?

— Non, répondent les élèves.

— Tous!

* * *

Émilie : Sais-tu comment on appelle un chat noir rayé de blanc?

David : Non.

Émilie : Minou! minou! minou!

* * *

Véro : Tu sais qu'il existe des bouteilles dans lesquelles on ne peut absolument pas mettre de jus d'orange!

Louis : Ah oui? Lesquelles?

Véro : Les bouteilles pleines!

* * *

Au moment de se mettre au lit, Maude couvre sa mère de baisers.

— Tu es bien affectueuse, ce soir, ma chérie, s'étonne sa mère.

— C'est parce que j'aimerais ça attraper ton rhume pour ne pas aller à l'école demain!

* * *

Marianne : J'ai eu 100 % dans mon examen!

La mère : Ah oui? C'est drôle, je ne me souviens pas de t'avoir vue étudier hier soir!

Marianne : Ce n'est pas ça qui compte, maman. L'important, c'est que ma voisine de classe ait étudié, elle!

* * *

Un homme entre dans un dépanneur. Il demande à un gars au comptoir :

— C'est toi, Roger?

— Oui!

Et voilà l'homme qui se met à tapocher Roger. Bing! Bang! Roger se retrouve par terre et l'homme s'en va en bougonnant.

Le pauvre gars par terre n'arrête pas de rire comme un vrai fou.

— Mais qu'est-ce que tu as à rire, avec un œil au beurre noir? lui demande le caissier.

— Hi! hi! hi! C'est même pas moi, Roger!

* * *

Que dit monsieur Hibou
à sa femme le jour de son
anniversaire?
Je te chouette une bonne
fête!

* * *

36

Quel est le fruit que les poissons détestent?
La pêche.

* * *

Le prof : Qui peut me nommer une chose qui n'existait pas il y a vingt ans et qui a changé nos vies?
Aurélie : Moi!

* * *

— Docteur, dit monsieur Morel, toutes les nuits je rêve en espagnol!
— Mais ce n'est pas un problème, ça. C'est bien!
— Oui, l'espagnol, ça va, mais les sous-titres français commencent à m'énerver!

* * *

Quel est le comble de la patience?
Couper les ongles d'orteil à un mille-pattes!

* * *

Deux vieux copains se rencontrent :

— Salut! La dernière fois qu'on s'est vus, tu étudiais pour devenir ingénieur.

— Et j'ai fini mon cours, je travaille maintenant chez un constructeur d'avions. Et toi, toujours dans les sous-marins?

— Non, j'ai dû quitter mon emploi.

— Pourquoi?

— Je n'arrivais pas à dormir la fenêtre fermée!

* * *

Deux nigauds en camion discutent :

— Regarde, au-dessus du tunnel, c'est écrit «Hauteur : 3,4 mètres».

— Ouais, j'ai vu ça...

— Notre camion a 4,1 mètres de haut. Qu'est-ce qu'on fait?

— On passe quand même! Il n'y a pas de policiers aux alentours!

* * *

Qu'y a-t-il de meilleur
pour la santé que
de rigoler pendant
39 pages?

Rigoler pendant
160 pages!

Gabrielle : Est-ce que tu as étudié pour l'examen de français de ce matin?

Flavie : Oui, ne t'inkiète pas pour moa, ça va être super fassil!

* * *

L'infirmière : Madame, voulez-vous arrêter de crier! Je ne vous ai même pas encore piquée!

La patiente : Je le sais bien, mais vous m'écrasez le petit orteil!

* * *

La mère : Tu as bien travaillé à l'école cette semaine. Je vais te donner une pièce de deux dollars toute neuve.

La fille : Oh, tu sais, maman, tu peux me donner un vieux billet de 10 dollars, ça ne me dérangerait pas du tout!

* * *

Deux cannibales discutent après un bon repas :

— Hum! c'était délicieux! Il faut avouer que le chef a fait un excellent rôti!

— Oui! Il va nous manquer!

* * *

Le prof de musique est un amoureux de Jean-Sébastien Bach. Il demande un jour à ses élèves :

— Qui peut me dire ce qui s'est passé en 1685?

— Moi, je le sais, dit Marilyne. C'est l'année de la naissance de Jean-Sébastien Bach.

— Bravo! Et quel grand événement musical est arrivé en 1700?

— Euh... répond Marilyne, qui réfléchit. Bach a eu 15 ans?

* * *

Tristan : Connais-tu l'histoire de la tortue?

Rosange : Non.

Tristan : Moi non plus, elle n'est même pas encore arrivée!

* * *

Trois frères ont un examen de mathématiques dans l'après-midi. Mais la veille, au lieu d'étudier, ils ont joué au Nintendo toute la soirée. Comme ils ont peur de se faire punir s'ils coulent leur examen, ils décident de ne pas en parler à leurs parents. Le plus vieux invente donc un code et l'explique à ses frères :

— Notre examen est sur 10. Quand on reviendra de l'école, on aura juste à se dire bonjour autant de fois que notre note.

Les voilà qui arrivent après l'école. Le premier leur dit :

— Bonjour! Bonjour! Bonjour! Bonjour! Bonjour!

Le deuxième, l'air malheureux, les salue :

— Bonjour! Bonjour! Bonjour! Bonj...

Et le troisième, l'air désespéré et complètement découragé :

— Salut les gars...

* * *

— Qu'est-ce qu'il ne faut surtout pas faire quand on nage dans un banc de poissons-scies?

— Je ne sais pas.

— La planche!

* * *

Le père : Comment se fait-il que tes notes en histoire soient aussi basses!

Le fils : Papa, ce n'est pas ma faute! Le professeur nous enseigne juste des choses qui se sont passées bien avant que je vienne au monde!

* * *

— Qui est l'écrivain qui a le plus de difficulté avec la grammaire et l'orthographe?

— Je ne sais pas.

— Jean Narrache!

* * *

Lison : Alors, as-tu reçu la guitare que tu voulais pour Noël?

Sophie : Oui, mais je l'ai jetée.

Lison : Pourquoi?

Sophie : Il y avait un gros trou en plein milieu.

* * *

— Quelle est la différence entre un zoo et tes souliers?

— Je ne sais pas.

— Dans le zoo il y a plein de singes, dans tes souliers il n'y en a qu'un!

* * *

Irène : Papa, j'ai presque eu 100 dans mon bulletin!

Le père : Bravo Irène!

Irène : Oui, il manquait juste le 1 devant les deux zéros.

* * *

Deux nigauds sont accrochés à une branche d'arbre. Un des deux se laisse tomber par terre.

— Tu es fatigué?

— Non, je suis mûr!

* * *

Deux nigauds vont au dépanneur acheter une bouteille de boisson gazeuse. Ils décident de partager moitié-moitié.

Le premier prend la bouteille et la boit au complet.

— Mais qu'est-ce que tu as fait là? s'exclame son copain. On avait dit qu'on partageait.

— Oui, mais moi, j'avais choisi la moitié du fond!

* * *

Un homme et sa femme sont en chicane. Ils ne se parlent plus. Quand ils doivent absolument communiquer, ils s'écrivent des notes. Un soir, l'homme laisse un mot à sa femme : «Demain, réveille-moi à sept heures.»

Le lendemain matin, il se réveille et regarde sa montre : neuf heures! Furieux, il se lève et voit un mot sur sa table de chevet : «Debout! il est sept heures!»

* * *

Monsieur Laurin revient d'une bonne partie de pêche. Il croise un homme dans la forêt qui lui demande :

— D'où venez-vous comme ça?

— J'arrive du lac à la Tortue. Si vous saviez comme j'ai fait de belles prises!

— Ah oui?

— Des truites argentées, des truites saumonées, des truites arc-en-ciel!

— Ah bon! Savez-vous qui je suis, moi, monsieur?

— Non.

— Je suis le garde-pêche, et la saison n'est pas encore commencée!

— Ah... et moi, savez-vous qui je suis?

— Non.

— Je suis le plus grand menteur du monde...

* * *

— Qu'est-ce qui est tout blanc, avec plein de taches noires et une tache rouge?

— Je ne sais pas.

— Un des 101 dalmatiens qui a échappé son jus de tomates!

* * *

Monsieur Bernard aperçoit Jean-François, le fils de son voisin, avec un gros marteau dans les mains.

— Attention, Jean-François! Tu pourrais te faire mal!

— Oh non, pas de danger, monsieur Bernard! C'est ma sœur qui tient le clou!

* * *

— Quel est le mois le plus court?
— Février?
— Pas du tout! Le mois le plus court c'est mai, il n'a que trois lettres!

* * *

Une souris et un éléphant traversent le désert. La souris se promène dans l'ombre de l'éléphant. Elle lui dit soudain :

— Si tu as trop chaud, on peut inverser.

* * *

— Sais-tu pourquoi la girafe a un si long cou?

— Non.
— Parce qu'elle est incapable de supporter l'odeur de ses pieds!

* * *

Le prof donne un cours sur les hommes des cavernes.

— Vous savez que les premières lettres ont été écrites sur des roches.

— Wow! dit Michel à son copain. Les facteurs devaient être fatigués à la fin de leur journée!

* * *

— Qu'est-ce qui peut faire le tour du monde en restant toujours dans son coin?

— Je ne sais pas.

— Un timbre!

* * *

Victor est très tannant en classe. Un jour, son prof l'entend siffler au fond de la classe.

— Victor, c'est toi qui siffles en travaillant?

— Non, madame, moi je ne fais que siffler.

* * *

Au restaurant :

— Mais faites attention! Vous venez de renverser de la soupe sur mon chandail!

— Ne vous en faites pas, madame! Il en reste encore beaucoup dans la cuisine!

* * *

— Comment un monstre fait-il pour compter jusqu'à 17?

— Je ne sais pas.

— Facile! Il compte sur ses doigts!

* * *

Le prof : Si un kilo de bœuf coûte six dollars, combien pourrais-tu en acheter si tu avais deux dollars?

Judith : Zéro kilo.

Le prof : Comment ça, zéro kilo?

Judith : Parce que si j'avais vraiment deux dollars, ce n'est pas du bœuf que j'achèterais, c'est du chocolat!

* * *

Le père :
Regarde
toutes ces
factures!
Taxes,
chauffage,
électricité,
téléphone,
ça n'arrête
pas de
monter! J'ai
tellement hâte
de voir une
chose
baisser!

Carmen : Ne t'en fais plus, papa, demain je vais avoir mon bulletin...

* * *

Deux nigauds sont en prison. Un des deux dessine sur le mur de la cellule.

— Tu es fou! lui dit son compagnon. Arrête ça tout de suite! S'ils te voient, on pourrait se faire renvoyer!

* * *

La mère : Victoria, as-tu changé l'eau de tes poissons?

Victoria : Mais non, maman, ils n'ont pas encore fini de boire celle que je leur ai donnée la semaine dernière!

* * *

Un monsieur se présente à la quincaillerie et demande une boîte de 3 centimètres de largeur sur 10 mètres de longueur.

— Mais que voulez-vous faire avec ça? lui demande le vendeur.

— Eh bien, c'est pour déménager ma corde à linge...

* * *

Au restaurant :

— Garçon! hurle le client, ça fait cinq fois que je vous demande une poitrine de poulet!

— Oui, monsieur, je suis désolé, ça s'en vient!

Le garçon entre dans la cuisine et demande au chef :

— Vite! Préparez-moi cinq poitrines de poulet!

* * *

Peter : Qu'est-ce qu'on donne à un chat qui a la grippe?
Jessica : Je ne sais pas.
Peter : Du sirop pour matou!

* * *

Kevin : Quel est l'animal le plus léger?
Guillaume : Je ne sais pas.
Kevin : C'est la palourde!

* * *

Dans le Far West, un cow-boy entre au saloon et demande :

— Donnez-moi un whisky, avant la bataille.
Le serveur lui donne ce qu'il désire. Au cours de la soirée, il commande régulièrement à boire, toujours de la même façon :
— Donnez-moi un whisky, avant la bataille.
Intrigué, le serveur lui demande :
— Pourquoi «avant la bataille»?
— Parce que je n'ai rien pour payer!

* * *

Mathieu : Sais-tu ce que ça veut dire «no»?
Genevière : Non.
Mathieu : Bravo!

* * *

Pascal et son père s'en vont voir un match de boxe entre Smith et Harrison. Le voisin de Pascal n'arrête pas de crier :

— Vas-y Smith! Casse-lui les dents! Tape! Une bonne droite! Sur la bouche!

— Excusez-moi, monsieur, lui dit Pascal, vous devez être un ami de Smith?

— Non, pas du tout, je suis le dentiste de Harrison.

* * *

— Dans ma famille, on a tous les mêmes yeux.

— Ah oui? Chez nous, on a chacun les nôtres!

* * *

— L'autre jour, j'étais en voiture avec ma mère. On croise un homme qui faisait du pouce. On le fait monter. L'homme avait une grosse valise dans laquelle il n'arrêtait pas de regarder. Je lui ai demandé ce qu'il y avait à l'intérieur. Il m'a répondu : «Ce n'est pas de tes affaires.» Ma mère aussi était très intriguée, alors elle lui a demandé ce que contenait sa grosse valise. L'homme lui a fait la même réponse : «Ce n'est pas de vos affaires.» Comme ma mère l'a trouvé bien impoli, elle lui a demandé de descendre. Un peu plus loin, on s'aperçoit toutes les deux que l'homme avait oublié sa fameuse valise dans l'auto. Veux-tu que je te dise ce qu'il y avait à l'intérieur?

— Oui!

— Ce n'est pas de tes affaires!

* * *

Que dit un serpent à un autre serpent? Quelle heure reptile?

* * *

La mère : J'espère que tu n'as pas fait trop de mauvais coups à l'école, aujourd'hui?

Ramon : Comment veux-tu que je fasse des mauvais coups? Je suis toujours en pénitence!

* * *

Deux poissons se rencontrent :
— Salut mon vieux! Ça te dirait d'aller prendre un ver?

* * *

— Pourquoi les éléphants sont-ils gris?
— Je ne sais pas.
— C'est pour ne pas qu'on les confonde avec des petites fraises des champs!

* * *

Deux fakirs discutent :
— Demain, j'ai rendez-vous chez mon acupuncteur.
— Ah toi! Tu ne penses qu'à ton plaisir!

* * *

Le prof de géographie vient de donner un cours sur l'Afrique.

— Qui aimerait visiter l'Afrique? demande-t-il à sa classe.

Tous les élèves lèvent la main, sauf Antoine.

— Antoine, lui demande le prof, tu ne veux pas aller en Afrique? Pourquoi?

— Ma mère m'a bien averti de rentrer à la maison tout de suite après l'école.

* * *

Geneviève : Maman, es-tu capable d'écrire dans la noirceur?

La mère : Je pense que oui.

Geneviève : Alors ça ne te dérange pas trop que je ferme la lumière, le temps que tu signes mon bulletin?

* * *

— Madame Savard, est-ce que Natacha peut venir jouer dehors?

— Il n'en est pas question. Elle est en pénitence.

— C'est plate. Qu'est-ce que je vais faire toute seule?

— Je suis désolée, mais Natacha a vraiment été très tannante aujourd'hui, elle n'a pas arrêté d'agacer sa sœur, et en plus elle a été très impolie avec la voisine.

— Oui, je suis bien d'accord, c'est effrayant tout ce qu'elle a fait. Mais pourquoi vous me punissez, MOI?

* * *

Lysanne : Connais-tu la différence entre de la confiture aux fraises et une bicyclette?

Véronica : Non. Qu'est-ce que c'est?

Lysanne : As-tu déjà essayé de mettre une bicyclette sur ta rôtie?

* * *

Sylviane : Franchement! tu aurais pu me dire que ton chien avait des puces avant de me le faire garder!

Nelson : Bof! j'ai pensé que ce n'était pas vraiment nécessaire de t'en parler! Je me suis dit que tu t'en apercevrais bien toi-même!

* * *

Mireille : Tu sais, maman, ça tombe vraiment bien que tu m'aies appelée Mireille.

La mère : Pourquoi?

Mireille : Parce que tout le monde m'appelle comme ça à l'école!

* * *

Jasmine s'en va aux toilettes pendant le film. Puis elle revient s'asseoir dans la salle. Elle passe devant un monsieur et lui dit :

— Excusez-moi, monsieur, est-ce que je vous ai écrasé les pieds tantôt?

— Oui! répond-il, fâché.

— Ah, parfait! Je suis dans la bonne rangée!

* * *

Qu'est-ce qui entre toujours en premier dans une maison?

La clé.

* * *

La mère : Sergio, veux-tu te placer derrière mon auto?

Sergio : Oui, voilà!

La mère : Maintenant, dis-moi si la lumière de mon clignotant fonctionne.

Sergio : Oui, non, oui, non, oui, non, oui, non, oui, non!

* * *

Au restaurant :

—J'aimerais un sandwich aux fourmis sur pain pita.

— Mais monsieur, on n'a jamais servi ça ici!

— Ah bon! Alors donnez-moi mon sandwich aux fourmis sur du pain blanc!

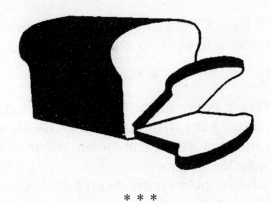

* * *

— Tu sais que mon chien joue au scrabble?

— Oh la la! Il doit être pas mal intelligent!

— Pas tant que ça, quand même! C'est presque toujours moi qui gagne!

* * *

— Sais-tu pourquoi Claire et Louis vont rester mariés toute la vie?

— Pourquoi?

— Parce que sinon, Claire va perdre l'ouïe et Louis ne verra plus clair!

* * *

— Si tu n'es pas sage, dit la maman chameau à son petit, tu n'auras pas de désert!

* * *

Madame Foisy visite de vieilles demeures avec son agent d'immeubles. Elle trouve enfin un beau vieux manoir qu'elle aimerait bien acheter.

— Dites, monsieur, demande-t-elle au propriétaire, il paraît qu'il y a un fantôme ici, c'est vrai?

— Je ne suis pas au courant! Et pourtant je devrais bien le savoir, ça fait 150 ans que j'habite ici!

* * *

— Qu'est-ce qui est jaune et qui va très vite?
— Je ne sais pas.
— Une banane de course.

* * *

— Sais-tu pourquoi les chats font «miaou»?
— Non.
— C'est parce que s'ils faisaient «wouf», ils seraient des chiens!

* * *

— Bonjour! Je suis la gardienne.

— Bon, si Justin fait trop de bruit, s'il ne fait pas ses devoirs, s'il est désobéissant ou s'il te dérange, tu peux le punir en l'empêchant de regarder la télé et en l'envoyant se coucher plus tôt.

— Oui, mais s'il est tranquille et se comporte bien, qu'est-ce que je fais?

— Oh la la! Alors tu es mieux de prendre sa température!

* * *

La maman arrive à la maison et s'aperçoit que son fils a mangé tout le repas qu'elle avait laissé pour ses enfants.

— Mais voyons, Félix! Tu n'as pas pensé à ta sœur?

— Oh oui, j'y ai pensé! J'avais assez peur qu'elle arrive avant que j'aie fini!

* * *

À l'école, deux copines font leurs devoirs ensemble.

— Dis donc, Jessica, est-ce que ta calculatrice marche?

— Oui.

— Ah oui? Alors attache-la comme il faut!

* * *

Qu'est-ce qui est noir et rouge et qui vole?
Une mouche qui saigne du nez.

* * *

Papa nuage se promène avec son petit. Tout à coup, bébé nuage disparaît. Le papa s'inquiète et commence à chercher partout. Heureusement, il aperçoit son petit qui revient vers lui.

— J'ai eu peur que tu sois perdu! Mais où étais-tu donc passé?

— Je suis allé faire pluie-pluie.

* * *

— Papa, quand maman et toi vous serez en voyage, qu'est-ce que vous allez me rapporter en cadeau?

— Rapporter! Rapporter! Tu penses juste à recevoir! Une bonne fois, tu pourrais peut-être penser à donner!

— O.K. papa, quand vous reviendrez de voyage, qu'est-ce que vous allez me DONNER?

* * *

Natacha : Je peux jouer du piano sans me servir de mes mains.
David : Hein! Comment ça?
Natacha : Bien oui, je joue par oreille!

* * *

Chez le fleuriste, on lit sur une affiche : Dites-le avec des fleurs!
Bernard entre et commande une tulipe.
— Juste une? demande le fleuriste.
— Oui, je ne parle pas beaucoup...

* * *

Maman poule vient de pondre un bel œuf.

— Oh! s'exclame papa coq, il ressemble tellement à son frère au même âge!

* * *

Danielle et Jean-François courent à toute vitesse sur le trottoir :

— Ah non! On va encore être en retard à l'école!

— On serait mieux de se trouver une bonne excuse!

— Je le sais! On pourrait dire qu'en sortant de la maison, on a vu un vaisseau spatial atterrir, que des êtres en sont sortis et qu'ils nous ont emmenés avec eux faire un tour dans une autre galaxie!

— Eille! Le prof ne croira jamais ça!

— Tu trouves que c'est trop exagéré?

— Non, mais c'est ça que j'ai dit la dernière fois que j'ai été en retard!

* * *

Le prof : Votre garçon est très original!
Le père : Ah oui? Merci!
Le prof : Oui, il trouve chaque jour une nouvelle bêtise à faire!

* * *

Il était une fois un village où se trouvait une vieille maison abandonnée. Personne n'osait y entrer. Un jour, un garçon courageux décide d'aller voir ce qui se passe à l'intérieur.

Il ouvre la porte et entre, lentement. Il fait quelques pas et aperçoit un fantôme.

— Monsieur le fantôme, je crois que vous avez échappé votre mouchoir à côté de vous.

— Ce n'est pas mon mouchoir, c'est mon petit dernier!

* * *

— As-tu fait tes devoirs hier soir, Jean-François?

— Non.

— J'espère que tu as une bonne excuse.

— Oui, c'est à cause de mon père.

— Ton père t'a empêché de faire tes devoirs?

— Non, mais il ne m'a pas assez chicané pour que je les fasse.

* * *

— Mais maman! Pourquoi faut-il que je me lave les mains si je mange avec une fourchette et un couteau?

* * *

Anne-Marie : Pourquoi les souris n'aiment pas les devinettes?
Ariane : Parce qu'elles ont peur de donner leur langue au chat!

* * *

François est un grand sportif. Un jour sa maîtresse lui demande :

— François, dis-moi combien font trois et trois?

— Un match nul!

* * *

Cécile : Qu'y a-t-il de pire qu'une girafe qui a un mal de gorge?

Paul-Émile : Deux girafes qui ont mal à la gorge?

Cécile : Non, c'est un crocodile qui a mal aux dents!

* * *

Alain : Mes voisins forment un couple idéal.

Suzie : Qu'est-ce qui te fait dire ça?

Alain : Elle, elle est prof de mathématiques, et lui, il est plein de problèmes!

* * *

Sylviane emmène son ami visiter la vieille maison familiale.

— Alors, tu vois ici le lit où ont couché ma mère, ma grand-mère, mon arrière-grand-mère et mon arrière-arrière-grand-mère.

— Mon Dieu! Elles devaient être tassées!

* * *

L'élève : Saviez-vous que les enfants sont beaucoup plus intelligents que les adultes?

Le prof : Non, je ne le savais pas!

L'élève : Vous voyez ce que je veux dire!

* * *

La mère : Où t'en vas-tu comme ça?

Florence : Au magasin.

La mère : Avec ce chandail tout sale?

Florence : Non, non, maman, avec mon amie Vanessa...

* * *

À l'entrée du désert se trouve un dépanneur. Sur la porte, on peut lire : «N'oubliez pas d'acheter votre jus et votre eau en bouteille ici. Tous les dépanneurs que vous verrez dans le désert sont des mirages!»

* * *

Quel est le comble de la patience?
Tricoter des pantoufles à un mille-pattes!

* * *

Au bar laitier, un chien entre, s'assoit au comptoir et demande un lait fouetté aux fraises. Jean-Charles, qui était là, et la serveuse sont abasourdis. Le chien mange tranquillement son sundae et repart.

Jean-Charles : Je n'en reviens pas! C'est extraordinaire!

La serveuse : Je suis vraiment étonnée moi aussi! D'habitude il prend toujours un lait fouetté au chocolat.

* * *

— Que se passe-t-il avec ton chat et ton canari ces temps-ci? Il y a longtemps que tu ne m'en as parlé!

— Eh bien, imagine-toi donc que Mistigri a complètement cessé de courir après Pinson.

— Ah bon! tu as réussi à le dresser?

— Non, il a réussi à l'attraper!

* * *

— Sais-tu quel animal peut sauter plus haut qu'une maison?

— Non.

— Tous, voyons! As-tu déjà vu une maison sauter?

* * *

— La mère de Simon a trois enfants. Un s'appelle Tic, et l'autre Tac. Comment s'appelle le troisième?

— Toc?

— Non, Simon!

* * *

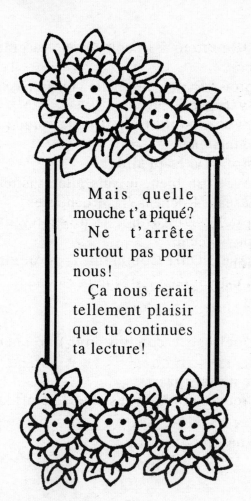

Mais quelle mouche t'a piqué? Ne t'arrête surtout pas pour nous!

Ça nous ferait tellement plaisir que tu continues ta lecture!

C'est le retour à l'école après les grandes vacances.

La prof : Et toi, ma belle, tu as passé de belles vacances?

L'élève : Oh oui! C'était fantastique... tastique... tastique!

La prof : Où es-tu allée?

L'élève : Eh bien, je suis allée visiter les Rocheuses... Rocheuses... Rocheuses.

La prof : Dis donc, il devait y avoir beaucoup d'écho!

L'élève : Oui! Comment as-tu deviné... viné... viné?

* * *

— Quel est le comble pour une chauve-souris?

— Je ne sais pas.

— Prendre rendez-vous chez le coiffeur!

* * *

Deux gros ballons se promenaient dans le désert. Soudain, un ballon dit à l'autre :

— Attention! Un cactussssssss...!

* * *

Deux nigauds se promènent en voiture. En descendant une grosse côte, celui qui conduit se rend compte que les freins ne fonctionnent plus.

— Hiiii! Il n'y a plus de freins! C'est la catastrophe!

— Mais non, ne t'inquiète pas! Je passe souvent ici, il y a un stop en bas de la côte.

* * *

Le père : Quel bulletin! Tu es le dernier élève sur 20.

Jocelyn : Oh, ça pourrait être pire, tu sais!

Le père : Comment ça?

Jocelyn : Je pourrais être dans une classe de 30...

* * *

Comment fait-on pour entrer un éléphant dans le frigo en quatre étapes?

On ouvre la porte, on enlève le pot de confitures, on pousse l'éléphant à l'intérieur et on ferme la porte.

* * *

Comment
fait-on pour
entrer une
girafe
dans le
frigo
en quatre
étapes?
On ouvre
la porte,
on sort
l'éléphant,
on place
la girafe
et on ferme
la porte!

* * *

Le lion, le roi de la jungle, avait ordonné qu'un animal de chaque espèce participe au grand défilé qui aurait lieu le jour de ses funérailles. Quand le triste événement est arrivé, il ne manquait qu'un seul animal. Lequel?

La girafe, elle était encore dans le frigo!

* * *

Lise : Connais-tu l'histoire du lit vertical?
Jérôme : Non.
Lise : Tant mieux! C'est une vraie histoire à dormir debout!

* * *

Un frère et une sœur discutent :
— Il y a des sœurs qui sont bavardes, mais toi tu es une exception.
— Tu trouves? C'est gentil!
— Oui, tu es exceptionnellement bavarde!

* * *

Dans un petit café :

— Bonjour monsieur, dit la serveuse, que désirez-vous?

— Je voudrais une soupe, pas trop chaude, des légumes, pas trop cuits, une tranche de jambon, pas trop salé, et un petit café, pas trop fort.

— Et avec ça, aimeriez-vous un petit verre d'eau, pas trop mouillée?

* * *

Deux copains discutent :

— Salut vieux! Tu as bien l'air fatigué?

— Ah... si tu savais.

— Que se passe-t-il?

— C'est rendu que je ronfle tellement fort que je me réveille moi-même!

— Mais pauvre vieux! J'ai une solution toute simple pour toi.

— Laquelle?

— Tu n'as qu'à dormir dans une autre chambre!

* * *

Monsieur et Madame Thomie ont le plaisir de vous annoncer la naissance de leur fille Lana.

* * *

Ève : Qu'est-ce qui vole mais n'a pas d'ailes?

Jeanne : Je ne sais pas.

Ève : Un bandit!

* * *

La saison de la chasse au canard n'est pas encore commencée mais monsieur Galland y va quand même. Il est vraiment très chanceux car à peine deux heures après son arrivée, il tire sur son premier canard.

Il s'installe au bord d'un lac et commence à plumer sa prise. Soudain, il entend des pas. Comme il a très peur de se faire prendre par un garde-chasse, il lance l'oiseau au bout de ses bras dans le lac, et se met à siffler comme si de rien n'était.

— Bonjour monsieur! lui dit le garde-chasse.

— Bonjour!

— Je dois vous arrêter car la chasse au canard est interdite.

— Oui, oui, je le sais! Je ne chassais pas!

— Ah! non? Et c'est quoi, ce petit tas de plumes à vos pieds?

— Ça? C'est un canard qui est parti se baigner et qui m'a demandé de surveiller ses vêtements...

* * *

Un homme est penché par-dessus le garde-fou du pont Jacques-Cartier. Un policier l'aperçoit et s'approche de lui.

— Monsieur, avez-vous un problème?

— Oui, j'ai perdu mes lunettes dans la rivière des Prairies.

— Mais monsieur, ici c'est le fleuve Saint-Laurent!

— Oh! Moi, sans mes lunettes, je ne vois rien!

* * *

Un homme loue une chambre à l'hôtel. À minuit, il se fait réveiller par une voix qui dit :

— Je suis le fantôme à l'œil blanc!

L'homme a tellement peur qu'il se jette en bas par la fenêtre. Le lendemain, un autre homme loue cette chambre à l'hôtel. Lui aussi entend, à minuit :

— Je suis le fantôme à l'œil blanc!

Mort de peur, il se jette par la fenêtre! Le jour suivant, un troisième homme se présente et se retrouve dans la chambre. À minuit, encore :

— Je suis le fantôme à l'œil blanc!

— Ah oui? Eh bien! tais-toi sinon tu vas devenir le fantôme à l'œil noir!

* * *

La prof : Charlotte, le devoir que tu m'as remis sur ton chat Figaro est absolument identique à celui de ta sœur!

Charlotte : C'est normal, mademoiselle, nous avons le même chat...

* * *

Trois copains, Personne, Rien et Fou, se promènent en forêt. Tout à coup, Personne tombe dans un piège à loups! Rien se précipite vers son ami et demande à Fou d'aller chercher du secours. Fou court à toute vitesse vers son camion pour appeler le garde-chasse.

— Allô? Venez vite! J'appelle pour Rien, Personne est tombé dans un piège!
— Quoi? Êtes-vous fou?
— Oui, vous me connaissez?

* * *

Comment voyagent les abeilles pour aller à l'école?
En autobizzzzzzz!

* * *

Superman rencontre son ami l'homme invisible et lui dit :
— Salut! Je suis content de ne pas te voir!

* * *

— Sais-tu ce qui est pire que de manger une pomme et d'y trouver un ver?

— Non.

— C'est de manger une pomme et y trouver une moitié de ver...

* * *

— Sais-tu quelle est la pièce la plus violente de la maison?

— Non.

— C'est la cuisine.

— Pourquoi?

— Parce que c'est là qu'on bat les œufs, qu'on tranche le pain, qu'on pulvérise les noix, qu'on écrase les fraises et qu'on fouette la crème!

* * *

— Je ne veux plus aller à l'école. Personne ne m'aime. Les élèves me détestent et les profs aussi. Je veux rester ici, maman!

— Pas question mon grand! Écoute, dans la vie, il faut faire des efforts. Je suis sûre que tu as plein de choses à apprendre à l'école. Et puis, tu n'as pas vraiment le choix, c'est toi le directeur!

* * *

Deux nigauds discutent :
— Vois-tu la forêt là-bas?
— Non, les arbres me cachent la vue.

* * *

Guillaume : Fido, assis! Assis, j'ai dit! Ah! reste donc debout, espèce d'imbécile!

Évelyne : Franchement, ton chien aurait vraiment besoin d'aller dans une école d'obéissance.

Guillaume : J'ai essayé de l'emmener, mais il refuse d'y aller!

* * *

Lucie : Sais-tu qui a inventé l'école?

Diane : Oui, je crois que c'est Charlemagne.

Lucie : Toute une invention!

Diane : Ah! Que veux-tu... l'erreur est humaine!

* * *

Une petite fille est en compagnie de sa mère.
— Nous sommes deux! dit la petite fille.
Son père les rejoint.

— Nous sommes quatre! dit la petite fille.
Comment peut-elle dire ça?
La petite fille ne sait pas compter!

* * *

La mère : À qui as-tu parlé pendant une heure sur le balcon?

Sarah : À mon amie Jenny.

La mère : Mais pourquoi tu ne l'as pas fait entrer?

Sarah : Elle n'avait pas le temps.

* * *

— Que font les scorpions quand il pleut?

— Je ne sais pas.

— Ils se font mouiller!

* * *

Carole : Qu'est-ce qui fait zzib! zzib!

Thomas : Aucune idée!

Carole : Une abeille qui vole à reculons!

* * *

— Est-ce que tu crois aux girafes?

— Non, c'est un cou monté!

* * *

Rosange vient de passer une semaine au camp de vacances avec sa cousine. Quand vient le moment de se quitter, sa cousine lui dit :

— En arrivant chez nous, je t'écris tout de suite, sans faute!

— Oh, fais comme d'habitude, je finis toujours par comprendre!

* * *

— Qu'est-ce qui a un dos mais pas de ventre, a des feuilles mais n'est pas un arbre, a une couverture mais n'est pas un lit?

— Je ne sais pas.

— Un livre!

* * *

Comment s'appelle la plus grande cliente des magasins d'électronique?

L M H T O P I D T V !

* * *

Peter : Ma sœur vient de commencer un nouveau passe-temps.

Jules : Qu'est-ce que c'est?

Peter : Elle fait une collection.

Jules : De quoi?

Peter : Elle collectionne les puces.

Jules : Ah bon! Et toi, qu'est-ce que tu fais?

Peter : Moi, je me gratte...

* * *

La mère : Juliette, as-tu fini ta soupe à l'alphabet?

Juliette : Non, pas encore, maman. Je suis juste rendue à la lettre P.

* * *

Gabriel : Sais-tu quelle est la différence entre un citron, une roche et toi?

Jonathan : Non.

Gabriel : Le citron est sur, la roche est dure et toi c'est sûr que tu fais dur!

* * *

Samuel entre à la pharmacie et demande :
— Avez-vous des lunettes?

— Pour le soleil?
— Non, pour moi.

* * *

— Les élèves de ma classe m'appellent tous Blé-d'Inde.
— Pourquoi?
— Je pense qu'ils maïs!

* * *

Un savant pose une puce sur son bureau et lui dit : «Saute!» La petite puce saute. Il lui coupe les pattes et lui dit encore : «Saute!» Mais la puce ne bouge pas. Il écrit alors dans son rapport : L'expérience démontre que lorsqu'on coupe les pattes à une puce, elle devient sourde.

* * *

Monsieur Chose : Je te promets, chérie, que je ne jouerai plus jamais à l'argent.

Madame Chose : Je ne te crois pas.

Monsieur Chose : Ah non! Combien tu gages?

* * *

L'explorateur : Dites-moi, quel est votre plat préféré?

Le cannibale : Les gens bons!

* * *

Le prof : Les élèves, je ramasse les devoirs.

Albert (tout bas) : Merci, Gabriel, de m'avoir laissé copier ton devoir. Un autre devoir manqué et le prof me coulait!

Gabriel : Ouais, je n'aime pas bien ça. J'espère au moins que tu n'as pas tout copié mot à mot?

Albert : Tu peux être sûr que oui! J'ai tout copié à la perfection! Et quand je dis tout, c'est tout!

Le prof : Albert, comment ça se fait que je n'ai pas ton devoir mais que j'en ai deux au nom de Gabriel Desroches?

* * *

Maman Poisson et papa Poisson se promènent en mer avec leurs petits. Ils croisent un sous-marin.

— Maman, qu'est-ce que c'est? demande un des petits.

— Ça, ce sont des hommes en conserve.

* * *

Duncan prend des cours de français. Il entend son professeur dire à un élève :

— Mon cher, tu es vachement avancé dans tes devoirs!

Duncan retient cette expression et s'en retourne chez lui. Il rencontre une jeune fille qu'il trouve pas mal jolie. Il prend son courage à deux mains et décide de lui parler un peu pour lui faire un compliment.

— Bonjour, je voulais te dire...

Comme il est très gêné, plus rien ne sort. Il a tout oublié ce qu'il connaît de français. En se concentrant comme il faut, la fameuse phrase du professeur lui revient!

— Bonjour, recommence-t-il, je voulais te dire que je te trouve jolie comme une vache!

* * *

Lise : Quelle est l'épice préférée des dentistes?
François : Je ne sais pas.
Lise : Le cari.

* * *

100

La fille : Maman, j'ai absolument besoin d'un dollar.

La mère : Pourquoi?

La fille : C'est pour une vieille dame que j'ai rencontrée au parc.

La mère : Je suis fière de toi, chérie. C'est très bien d'aider les gens. Cette vieille dame, elle ne travaille pas?

La fille : Ah oui! elle vend de la crème glacée!

* * *

Un nigaud invite son copain à la maison.

— J'ai quelque chose à te montrer.

— Oui, quoi donc?

— Eh bien regarde ce merveilleux casse-tête que je viens juste de terminer!

— Wow! c'est vrai qu'il est beau! Combien de temps as-tu mis à le faire?

— Six mois.

— Six mois! Franchement, c'est beaucoup!

— Un instant! Sur la boîte c'était écrit «4 à 6 ans»!

* * *

Deux copines discutent :

— Cette année, mes parents nous envoient, mon frère et moi, passer une semaine dans un camp d'été.

— Ah bon!

— Ils ont vraiment besoin de vacances!

* * *

— Regarde, j'ai trouvé un livre intéressant. Il parle des gens qui remettent toujours les choses à faire à plus tard. Tu devrais le lire!

— O.K., je te promets que je vais le lire... demain!

* * *

— Sais-tu quelle est la première chose que font deux crabes qui se rencontrent?

— Non.

— Ils se serrent la pince!

* * *

Drrring!

— Allô!

— Je voudrais parler à Claudine, s'il vous plaît.

— Il n'y a pas de Claudine ici. Je crois que vous vous êtes trompé. Êtes-vous sûr d'avoir composé le bon numéro?

— Absolument certain. Et vous, êtes-vous sûr que vous êtes dans la bonne maison?

* * *

— Sais-tu ce que ça fait un chat?
— Oui, ça miaule.
— Un mouton?
— Oui, ça bêle.
— Et une fourmi?
— Une fourmi? Non.
— Ça crohonde.
— Hein, comment ça?
— Eh oui, la fourmi crohonde!

* * *

— As-tu entendu la blague sur le plafond?
— Il est bien haut au-dessus de ta tête.

* * *

Depuis une demi-heure, Karine chante pour son amie.
— Tu aimes la belle musique? lui demande-t-elle.
— Oui, mais ce n'est pas grave, tu peux continuer à chanter quand même!

* * *

La mère : Qui a brisé cette vitre?
Louise : C'est Simon, maman. Il s'est

baissé juste au moment où je lui lançais une
boule de neige...

* * *

Gaston : Mais qu'est-ce que c'est que toutes ces bouteilles vides dans ton réfrigérateur?

Juliette : Ça? C'est pour mes invités qui ne boivent pas!

* * *

Didier : Maman! Je suis tombé dans un gros trou d'eau!

La mère : Ah non! Pas avec ton uniforme du collège?

Didier : Ben... je n'ai pas eu le temps de l'enlever!

* * *

— Pourquoi les humains lèvent un pied après l'autre quand ils marchent?

— Parce que s'ils levaient les deux en même temps, ils tomberaient!

* * *

Monsieur Jutras va visiter son voisin, monsieur Saint-Jean.

— Bonjour! Quoi de neuf?

— Eh bien, j'ai un chien maintenant.

— Où est-il?

— Juste là, à côté de la tondeuse.

Monsieur Jutras s'avance pour flatter le bel animal doré mais aussitôt qu'il s'approche, le chien lui saute dessus et l'attaque sauvagement.

D'une toute petite voix, monsieur Jutras dit à son voisin :

— Il est donc bien agressif! Où l'as-tu pris ton chien?

— Ah, c'est mon cousin qui vit en Afrique qui me l'a envoyé. Quand je l'ai eu, il faisait pas mal dur avec son paquet de poils longs autour de la tête. Mais j'ai tout coupé ça!

* * *

Quel est le comble pour un coq?
Avoir la chair de poule!

* * *

François demande à son grand frère :

— Qu'est-ce que tu as trouvé le plus dur quand tu as commencé à jouer au hockey?

— La glace!

* * *

Je suis un nez qui noircit des pages.
Un nez-crivain.

* * *

Trois gars s'en allaient en expédition dans le désert.

— J'apporte une gourde pleine d'eau, dit le premier.

— Moi, dit le deuxième, j'ai un parasol.

— Et moi, dit le troisième, je vais apporter une portière d'auto.

— Pourquoi? C'est lourd!

— Si j'ai chaud, je vais pouvoir ouvrir la fenêtre!

* * *

Le voisin :
Votre chien a encore jappé toute la nuit! Savez-vous que c'est un signe de mort?

L'autre voisin :
Non je ne savais pas. La mort de qui?
Le voisin :
De votre chien, s'il recommence une autre nuit!

* * *

Deux copines discutent :
— Sais-tu qui habitait à côté de chez nous quand j'étais petite?
— Non, qui?
— Mon voisin!

Un policier arrête une voiture et dit au conducteur :

— Bravo, monsieur! Vous êtes la millionième auto à traverser ce pont. Vous gagnez cinq cents dollars!

— Merci beaucoup! dit l'homme au volant. Ça tombe bien, je vais justement pouvoir me payer des cours de conduite!

— Pardon? dit le policier.

— Ne l'écoutez pas! dit la femme du conducteur. Il dit n'importe quoi quand il est soûl!

— Hein? s'étouffe le policier.

— Je le savais! dit le passager arrière. Je vous l'avais bien dit qu'on n'irait pas loin avec une voiture volée!

* * *

— Pourquoi les cultivateurs ont toujours l'air plus jeunes que leur âge?

— Parce que quand on sème on a toujours 20 ans!

* * *

Alexandra téléphone à l'épicerie :
— Bonjour, avez-vous des biscuits secs?
— Oui.
— Vous ne pensez pas qu'il serait temps de les arroser?

* * *

Au magasin :
— Je cherche un portefeuille imperméable.
— Mais pourquoi? demande la vendeuse.
— C'est pour mettre de l'argent liquide!

* * *

Que dit l'escargot sur le dos d'une tortue?
— Yahou!

* * *

— Quel est le nom de l'ex-champion de ski russe?
— Je ne sais pas.
— Ispet Lafiolenski.

* * *

— Sais-tu ce que la grande aiguille dit à la petite?

— Non.

— Rendez-vous à neuf heures moins quart!

* * *

Deux vers se rencontrent dans une pomme.
— Tiens! vous habitez dans le quartier?

* * *

La prof : Où es-tu né, Rodrigo?
Rodrigo : Je suis né en Amérique centrale.
La prof : Oui, mais quelle partie?
Rodrigo : Comment, quelle partie? Je suis né au complet en Amérique centrale!

* * *

Le père : Mange tes légumes!

Nicholas : Non!

Le père : J'ai dit mange tes légumes!

Nicholas : Non, bon!

Le père : Tu es mieux de manger tes légumes si tu veux devenir beau et fort!

Nicholas : Dans ce cas-là, papa, c'est toi qui devrais peut-être les manger!

* * *

Paul s'en va à son cours de musique. Il doit prendre un escalier de douze marches. Il en monte huit. Combien en reste-t-il?

— Quatre?

— Non, il en reste toujours douze!

* * *

Quelle est la différence entre ton petit frère et un biscuit?

Tu ne peux pas tremper ton petit frère dans un verre de lait!

* * *

Roberto s'en va au dépanneur :

— Avez-vous de la crème glacée aux cornichons?

— Non.

Roberto revient plusieurs jours de suite, mais toujours sans succès. Le propriétaire est bien désolé de ne pouvoir satisfaire son client. Il décide d'en commander, même si c'est très rare et très cher.

Roberto vient faire son tour au dépanneur :

— Avez-vous de la crème glacée aux cornichons?

— Oui, tu vas être content, j'en ai fait venir!

— Ce n'est vraiment pas bon, hein?

* * *

Bianca : Est-ce qu'il faut dire un mensonge ou une menterie?

Jacinthe : Euh...

Bianca : Ni l'un ni l'autre, il faut toujours dire la vérité!

* * *

— François, regarde! Ton chien est en train de lire le journal!

— Non, non. Il fait juste semblant. En réalité, il ne sait pas lire, il regarde juste les photos.

* * *

— Maman! Regarde comme je suis gentil! Je partage avec mon petit frère. Je mange des arachides et je lui donne toutes les écales!

* * *

La prof : Aujourd'hui, nous allons parler des fractions. Si je coupe une feuille de papier en deux, qu'est-ce que j'obtiens?

Les élèves : Des moitiés de feuille!

La prof : Très bien. Et si je la coupe en quatre?

Les élèves : Des quarts!

La prof : C'est ça. Et si je la coupe en huit?

Les élèves : Des huitièmes!

La prof : C'est très très bien! On continue. Si je coupe la feuille en mille, qu'est-ce que j'obtiens?

Les élèves : Des confettis!

* * *

Dans le métro, un homme lit son journal. Chaque fois qu'il finit une page, il la déchire, en fait une petite boulette et la jette par terre.

— Pourquoi faites-vous ça? lui demande Maude.

— C'est pour éloigner les crocodiles.

— Mais il n'y a pas de crocodile ici!

— C'est efficace, hein?

* * *

Après la première journée d'école de Samuel :

— Est-ce que tu as aimé ta journée? lui demande sa mère.

— Oui, mais il y a une chose bizarre.

— Quoi?

— Tu m'avais dit qu'à l'école il ne fallait pas parler. Pourtant, il y a dans ma classe une madame qui n'a pas arrêté de parler de toute la journée!

* * *

Perdu dans le désert par une nuit noire, un petit hérisson frappe un cactus par accident. Il s'exclame, le cœur chaviré :

— Pardon, mademoiselle! Comme vous avez la peau douce!

* * *

Francis : Sais-tu que je suis capable de faire une chose que personne d'autre dans l'école ne peut faire? Même pas les professeurs.

Élaine : Ah oui! Quoi donc?

Francis : Lire mon écriture.

* * *

— Crois-tu que les gens aiment la grande musique?

— Oui, j'en suis certaine!

— Qu'est-ce qui te fait dire ça?

— Je suis allée voir un concert de l'orchestre symphonique en fin de semaine. Eh bien, il y avait tellement de monde que le chef d'orchestre a dû passer toute la soirée debout!

* * *

— Hé! toi! Aimes-tu la crème glacée?

— Non!

— Parfait! Veux-tu tenir mon cornet pendant que j'attache mon soulier?

* * *

HA! HA!

J'espère que tu n'es pas en train de me lire pendant ton cours de maths!

Bonne lecture!

Rosange : Tu as l'air bien déprimé.

David : Bof!

Rosange: Qu'est-ce qui ne va pas?

David : Hier, pendant l'examen de français, j'ai pris un miroir et j'ai copié sur mon voisin.

Rosange : Et puis?

David : Il a eu 83% et moi 38%...

* * *

Flore : Je pense que je vais avoir 100% dans l'examen de français qu'on a fait ce matin.

Lisa : Toi? Tu n'avais même pas étudié!

Flore : Ouais, mais j'ai copié sur Toto Labretelle.

Lisa : T'es folle! C'est le pire élève de la classe!

Flore : Peut-être, mais Toto a tout copié sur Jasmine la «bollée»! Et elle, elle a toujours 100%!

* * *

— Il y a vraiment un drôle de bruit dans mon moteur.

— Et vous y avez vu?

— Oui, je suis d'abord allé au garage de l'autre côté de la rue.

— Ah oui? Et quel mauvais conseil cet imbécile vous a-t-il donné?

— Il m'a dit de venir vous voir!

* * *

— Mon médecin m'a dit de changer toute mon alimentation. Plus de biscuits, de fromage, de crème glacée, de gâteaux, et plus de croustilles.

— Pauvre toi, qu'est-ce que tu vas faire?

— Je vais changer de médecin!

* * *

Pourquoi vaut-il mieux ne pas se promener dans la jungle entre cinq heures et cinq heures et demie?

Parce que c'est l'heure où les éléphants descendent des arbres.

* * *

Pourquoi les alligators ont-ils la tête plate?

C'est parce qu'ils se promènent dans la jungle entre cinq heures et cinq heures et demie!

* * *

Sébastien revient de l'école le pantalon tout déchiré et la jambe passablement amochée.

— Mais que t'est-il arrivé, mon chéri? s'exclame sa mère.

— C'est le chien à côté de l'école qui m'a mordu.

— Mais as-tu mis quelque chose sur ta jambe?

— Non, le chien l'a trouvée très bonne comme ça.

* * *

Deux amis discutent dans la cour de récréation :

— À quelle heure te réveilles-tu, toi, le matin?

— Oh, environ une heure après le début des cours!

* * *

Monsieur Vézina est à l'épicerie. Il a oublié ses lunettes et n'arrive pas à lire la dernière chose que sa femme a inscrite sur la liste. Il demande au boucher de lui dire ce qui est écrit au bas de la note.

Le boucher, un peu gêné, lui chuchote :

— Je t'aime, mon gros poussin adoré!

* * *

À la clinique :

— Docteur, c'est terrible!

— Qu'est-ce qu'il y a?

— Il y a des concombres qui me poussent dans l'oreille!

— En effet, c'est plutôt surprenant!

— Je comprends! Moi qui avais planté des haricots!

* * *

Je suis un nez qui vit collé sur les oreilles. Un nez-couteur!

* * *

L'accordeur de pianos sonne chez madame Grimard.

— Mais je ne vous ai pas fait demander! s'étonne-t-elle.

— Vous, non, mais vos voisins, oui!

* * *

Trois gars font un concours. Celui qui réussit à rester le plus longtemps dans la porcherie gagne.

Le premier entre et ressort en courant au bout de 30 secondes.

Le deuxième prend son souffle et entre. Il ne réussit même pas à rester 15 secondes!

Le troisième entre à son tour. Quinze secondes passent, puis 20, puis 30, et tous les cochons sortent en courant!

* * *

Juliette : Salut! Il paraît que ton voisin s'est acheté un chien de garde?

Xavier : Oui.

Juliette : Est-ce qu'il est efficace?

Xavier : Je comprends qu'il est efficace! Ça fait trois jours que mon voisin essaie de rentrer chez lui!

* * *

Émilie : Pourquoi ta mère porte-t-elle toujours ton petit frère dans ses bras?

Jacinthe : Parce que mon petit frère ne peut pas se porter tout seul!

* * *

Deux amies discutent :
— Ma mère est vraiment bizarre.
— Comment ça?
— Tous les soirs, alors que je ne suis pas fatiguée, elle me couche. Et chaque matin, alors que je suis en train de dormir, elle me réveille!

* * *

Un bon jeudi matin à l'école :
— Tout le monde est en forme? demande le professeur. Ce matin, nous allons étudier les fractions. Si je coupe une pêche en quatre, que j'en mange deux morceaux et que je t'en donne deux, que reste-t-il?
— Il reste le noyau!

* * *

Lucie : Ma voisine a suivi un régime à base d'huile de castor.

Isabelle : Est-ce qu'elle a perdu beaucoup de poids?

Lucie : Non, mais tu devrais la voir ronger les arbres!

* * *

Un petit garçon fait sa prière un soir :

— Mon Dieu, s'il te plaît, mets les vitamines dans la crème glacée et pas dans le brocoli!

* * *

Sur la clôture de Jessica, c'est écrit : «Attention, chien méchant!».

— Où il est, ton chien? lui demande son ami.

— Tiens, le voilà!

— Mais c'est juste un petit caniche! C'est ça ton chien méchant?

— Chut! Il croit qu'il est un chien méchant!

* * *

— Quel est le meilleur moyen d'attirer un singe dans la jungle?

— Je ne sais pas.

— Facile! Tu n'as qu'à imiter le cri de la banane!

* * *

Le prof : Tom, sais-tu comment écrire le mot «hiéroglyphe»?

Tom : Oui, avec un crayon!

* * *

— Connais-tu l'histoire de l'homme qui était tellement petit que ses souliers sentaient le shampoing?

— Non, mais je connais l'histoire de l'homme qui était tellement petit que ses cheveux sentaient le cirage à chaussures!

* * *

Un policier arrête une jeune femme en plein centre-ville.

— Madame, il est interdit de se promener en maillot de bain deux pièces.

— Très bien, quel morceau voulez-vous que j'enlève?

* * *

Deux paratonnerres discutent :

— Dis donc, toi, est-ce que tu crois à l'amour?

— Je comprends que j'y crois! Si tu savais le nombre de coups de foudre que j'ai eus dans ma vie!

* * *

— Connais-tu la meilleure façon d'attraper les écureuils?

— Non.

— Tu grimpes dans un arbre et tu imites un gland!

* * *

Un homme se présente au cirque pour se faire engager.

— Alors, lui dit le directeur, il paraît que vous imitez les oiseaux?

— Oui.

— Et quel genre d'imitation faites-vous?

— Je mange des vers.

* * *

Le prof : Qu'est-ce que le temps?

Jacques : C'est une chose qui passe très très lentement pendant la semaine, et très très vite pendant la fin de semaine!

* * *

Le prof : Taisez-vous! Si vous n'arrêtez pas tout de suite ce vacarme, je sens que je vais devenir fou!

L'élève : Trop tard, monsieur! Ça fait déjà une demi-heure que personne ne fait plus de bruit!

* * *

La mère : Pourquoi as-tu une note aussi basse dans ton examen de géographie?

Kevin : Je ne me suis pas rappelé où était la Patagonie.

La mère : Pourtant, ça fait bien longtemps que je te dis de faire attention où tu mets tes affaires!

* * *

Le prof : Quel est le mot qui décrit le discours d'une personne qui parle toute seule?

Amélie : Un monologue.

Le prof : Très bien, Amélie! Et que dit-on quand deux personnes parlent ensemble?

Amélie : C'est un dialogue.

Le prof : Parfait! Maintenant, quand quatre personnes parlent ensemble, de quoi s'agit-il?

Amélie : Euh... je ne sais pas.

Jean-Philippe : Moi je le sais! On dit un catalogue!

* * *

Le père : Qu'est-ce que tu fais?

Steve : J'écris une lettre à mon ami Jean-Christophe.

Le père : Mais voyons, Steve, tu ne sais même pas écrire!

Steve : Pas grave! Jean-Christophe ne sait pas lire!

* * *

— Peux-tu me faire une phrase avec hip-popotame?

— Euh...
— Mon frère s'en va voir le baseball mais hippopotame ner!

* * *

Qu'a fait Christophe Colomb après avoir mis un pied en Amérique?
Il a mis l'autre.

* * *

Chez le fleuriste :

— Bonjour, je voudrais avoir trois violettes africaines.

— Je suis désolé, madame, il ne m'en reste plus du tout. Je peux vous offrir des plantes araignées, peut-être?

— Non, ça ne marcherait pas...

— Qu'est-ce qui ne marcherait pas?

— Ben, mon voisin rentre demain, ce sont ses violettes africaines que je lui avais promis d'arroser!

* * *

Toute la classe de Félix va visiter un musée.

La prof : Félix, sais-tu à qui appartient ce crâne?

Félix : C'est celui du roi François 1er.

La prof : Très bien! Et le petit juste à côté?

Félix : Celui-là? Euh... je crois que c'est le crâne de François 1er quand il était petit.

* * *

La petite araignée arrive de l'école :

— Maman, qu'est-ce qu'on va manger pour dessert?

— Une mouche au chocolat.

* * *

Jonathan va voir son ami Bruno à son retour de vacances.

— Alors, tu t'es bien amusé?

— Oh oui! nous avons visité plein de villes célèbres!

— Lesquelles?

— Eh bien, je suis allé par exemple dans la ville où l'on trouve plus de brouillard que partout ailleurs sur la planète!

— C'est fantastique! Comment s'appelle cet endroit?

— Je ne sais pas, je n'ai jamais réussi à lire le panneau!

* * *

Le docteur : Votre toux me semble beaucoup mieux, aujourd'hui.

La patiente : Je comprends, je me suis exercée toute la nuit!

* * *

— Sais-tu quelle est la différence entre un avion et une cigarette?

— Non.

— Un avion ça fait monter et une cigarette ça fait des cendres!

* * *

Une petite souris arrive en courant au bord de l'eau où se baigne un éléphant.

— Sors de là tout de suite! hurle-t-elle, en colère.

L'éléphant sort de l'eau timidement, en se demandant bien ce qui se passe avec la souris!

— O.K., ça va, ce n'est pas toi qui m'as volé mon maillot de bain.

* * *

Rémi : Comment écrit-on le mot «nouille»?

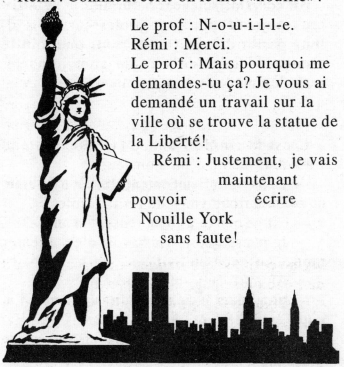

Le prof : N-o-u-i-l-l-e.
Rémi : Merci.
Le prof : Mais pourquoi me demandes-tu ça? Je vous ai demandé un travail sur la ville où se trouve la statue de la Liberté!
Rémi : Justement, je vais maintenant pouvoir écrire Nouille York sans faute!

* * *

139

Au cours de sciences naturelles :

— Aujourd'hui, dit le professeur, nous allons parler du gorille. Et pour que tout le monde comprenne bien de quoi je parle, regardez-moi très attentivement...

* * *

C'est la fin de l'année et Pascal attend l'autobus à côté d'un monsieur.

— Tu as l'air bien content! lui dit l'homme.

— Oh oui! Je viens de finir l'école.

— Est-ce que tu as bien réussi ton année?

— Je pense que je vais avoir d'excellentes notes dans mon bulletin.

— Ah oui? Tu as bien étudié?

— Non. Mais je vais vous dire un secret : j'ai copié et triché dans tous mes examens! Ha! Ha!

— Moi aussi je vais te dire un secret : je suis le président de la commission scolaire!

— Euh... et moi, vous savez, je suis le plus grand menteur de toute l'école!

* * *

— Sais-tu pourquoi Rose n'arrive jamais à rejoindre ses copines à bicyclette?

— Non.

— Parce qu'elle ne pétale pas assez vite!

* * *

— Savais-tu, Catou, qu'on peut entendre la mer en écoutant dans un biscuit Whippet?

— Quoi? Qu'est-ce que tu racontes là?

— Oui, oui, je te le dis! dit Guillaume. Tiens, tu peux essayer toi-même, tu verras!

Catou prend un biscuit, le porte à son oreille et écoute attentivement.

— Je n'entends rien!

— Attends, tu vas voir, ce ne sera pas long.

Au même moment, la mère de Guillaume arrive et s'écrie :

— Voulez-vous bien me dire ce que vous êtes en train de manigancer tous les deux?

— Tu vois? reprend Guillaume, je te l'avais bien dit qu'on entendrait la mère!

* * *

Madame Dion se promène en voiture à la campagne. Tout à coup, prrrt! Elle se précipite vers la maison où elle s'est arrêtée et sonne.

— Oui?

— Madame, je suis désolée mais je crois que je viens d'écraser votre chat! Si vous voulez, pour me faire pardonner, je suis prête à le remplacer!

— Si vous y tenez, d'accord! Vous commencerez par l'étable, c'est là qu'il y a le plus de souris!

* * *

Deux touristes font connaissance dans l'avion.

— Et vous, que faites-vous dans la vie?

— Je travaille dans un bureau.

— Ah bon! Dans quel tiroir?

* * *

La mère : Marie-Claire, je vais faire une commission. Si madame Faucher appelle, dis-lui que je reviens dans une heure.

Marie-Claire : O.K. maman. Et si elle n'appelle pas, qu'est-ce que je lui dis?

* * *

Un homme se présente chez un directeur de cirque.

— Bonjour!

— Qu'est-ce que je peux faire pour vous? demande le directeur.

— Bien voilà : je suis imitateur d'oiseaux. Voulez-vous une démonstration?

— Non, non, ça va. Ce n'est pas nouveau, imiter les oiseaux. J'ai déjà vu des centaines et des centaines de numéros comme ça.

— Peut-être, mais sûrement pas comme le mien! Tant pis! soupire l'homme en s'envolant par la fenêtre.

* * *

— Qu'est-ce qui est transparent et qui sent la banane?

— Je ne sais pas.

— Un pet de singe.

* * *

Un loup et un mouton entrent au restaurant et s'installent à une table.

— Bonjour, dit le serveur. Qu'est-ce que je peux vous servir?

— Je vais prendre un bol de foin et une petite assiette de trèfle, répond le mouton.

— Très bien. Et pour votre ami?

— Il ne prend rien.

— Il n'a pas faim? demande le serveur, surpris.

— Pensez-vous vraiment que je serais avec lui s'il avait faim?

* * *

Coralie : J'aimerais tellement avoir un chat!

Kim : Est-ce que tes parents accepteraient?

Coralie : Non, c'est ça le problème! Ils ne veulent absolument pas laisser un chat entrer dans la maison.

Kim : Et ton frère, lui?

Coralie : Oh, lui, ils le laissent entrer.

* * *

— Sais-tu pourquoi les girafes se mettent du vernis rouge sur les ongles d'orteil?

— Non.

— C'est pour pouvoir se cacher dans les champs de fraises.

— Franchement! Qu'est-ce que tu racontes?

— As-tu déjà vu une girafe dans un champ de fraises?

— Non.

— Non, tu vois, ça marche.

* * *

Jessica : Aujourd'hui c'est mon anniversaire! Je suis tellement heureuse! Je me sens transformée! J'aurais envie de faire des folies! De faire des choses que je n'ai jamais faites avant!

La mère : Que dirais-tu de faire le ménage de ta chambre?

* * *

Fanny : Connais-tu la différence entre l'école et une pile?
Joël : Non.
Fanny : La pile, elle, a un côté positif!

* * *

Toc! toc! toc!
— Qui est là?
— L.
— L qui?
— L avait très hâte aux vacances!

* * *

La mère : C'est donc bien long! Je t'ai juste demandé de remplir la salière!

Le fils : Mais maman, c'est difficile de faire rentrer les grains par ces petits trous!

* * *

Micheline : Sais-tu quelle est la distance entre la Lune et la Terre?

Le père : Euh... non, je ne le sais pas.

Micheline : Alors, ne viens pas me gronder si j'ai une mauvaise note pour mon devoir. Ce sera ta faute!

* * *

Claudiane : Est-ce que je peux aller aux toilettes?

Le prof : Bien sûr. Et si tu vois le directeur, dis-lui que je veux lui parler.

Claudiane : D'accord. Et si je ne le vois pas, qu'est-ce que je lui dis?

* * *

Yves : C'est vrai que tu es sorti de la classe en plein milieu de l'après-midi?

Bernard : Oui, après ce que la prof m'avait dit, il n'était pas question que je reste une seconde de plus!

Yves : Mais que t'a-t-elle dit?

Bernard : «Au bureau du directeur tout de suite!»

* * *

Claudia : Quand je mange trop de chocolat, je n'arrive pas à m'endormir.

Marco : C'est drôle, moi c'est le contraire. Quand je dors, je n'arrive pas à manger du chocolat!

* * *

149

Danika : Sais-tu que les perruques et toi vous avez beaucoup de choses en commun?

Nathalie : Ah oui! Comment ça?

Danika : Eh bien tous les deux vous avez beaucoup de cheveux et pas de tête!

* * *

— Que faisaient les invités de Mozart pour lui faire savoir qu'ils étaient arrivés?

— Je ne sais pas.

— Ils appuyaient sur la sonate!

* * *

La gardienne : Mais voyons, Jérémie! Pourquoi as-tu mordu ta sœur?

Jérémie : Un instant! Je ne l'ai pas mordue!

La gardienne : Ah non? Qu'est-ce que tu viens juste de faire, alors?

Jérémie : Je l'ai embrassée avec les dents!

* * *

— Qui est la personne qui connaît le plus de secrets à l'école?

— Je ne sais pas.

— La SECRETaire!

* * *

Myriam : C'est l'histoire d'une tortue qui s'en va à La Ronde.

Anne-Sophie : Oui, et que lui arrive-t-il?

Myriam : Un instant, laisse-lui le temps de se rendre!

* * *

Deux copains discutent :

— Est-ce que ta mère porte des lunettes?

— Elle devrait en porter, mais elle ne les met jamais.

— Pourquoi?

— Pour ne pas voir toutes les niaiseries que je fais dans une journée!

* * *

Toc! toc! toc!
— Qui est là?
— C.
— C qui?
— C juste une blague!

***

Blaise :
Sais-tu
ce qu'on
recueille
quand on
trait une
vache
stressée?
Pascale :
Non.
Blaise :
Du lait
fouetté!

***

152

Le directeur reçoit dans son bureau deux élèves qui se sont battus dans la cour de récréation.

— Victor, est-ce que c'est vrai que tu as cassé une raquette de badminton sur la tête de Gilberto?

— Oui, mais je ne l'ai pas fait exprès!

— Ah, il me semblait bien! Tu ne voulais pas faire mal à Gilberto!

— Non, Monsieur, je ne voulais pas briser la raquette!

* * *

Charles : Mon chat a remporté le premier prix d'un concours de beauté pour oiseaux.

Hubert : Pour oiseaux! Comment ça?

Charles : Il a bouffé le perroquet qui avait gagné le premier prix!

* * *

À l'école, le directeur cherche un élève qui pourra le seconder dans un projet d'aide aux plus jeunes. Agatha se rend au bureau du directeur pour poser sa candidature.

Le directeur : Comme ça, tu crois que tu peux m'aider dans cette tâche?

Agatha : Oh oui!

Le directeur : Tu sais, j'ai besoin de quelqu'un de très responsable!

Agatha : Alors je suis sûre de faire l'affaire!

Le directeur : Comment ça?

Agatha : Dans ma classe, mon prof m'a dit que chaque fois qu'il y a quelque chose qui cloche, c'est moi la responsable!

* * *

La petite tortue dit à sa mère :
— Je m'en vais jouer chez mon ami; je reviendrai dans trois semaines!

* * *

— Connais-tu la blague de l'imbécile qui disait toujours non?

— Non!

* * *

Monsieur Faucher arrive au ciel. On lui demande ce qui lui est arrivé.

— J'étais en voyage en train de traverser une rivière infestée d'alligators. Soudain, un câble du petit pont suspendu a lâché et le pont a basculé! Mais heureusement tout le monde a réussi à s'accrocher à la rampe. Malheureusement, nous étions trop nombreux et la rampe menaçait de se briser. Le guide nous a dit : «Quelqu'un va devoir se sacrifier et sauter pour sauver les autres.» Finalement, un homme s'est laissé tomber.

— Mais pourquoi êtes-vous ici au ciel si tout s'est bien terminé?

— Le guide nous a dit que cet homme courageux méritait bien qu'on l'applaudisse...

* * *

<u>CONCOURS</u>

Tu dois connaître, toi aussi, de courtes histoires drôles. Alors, pourquoi ne pas nous en faire parvenir quelques-unes?

Parmi celles reçues, certaines seront retenues pour publication et l'auteur(e) recevra une surprise.

Participe le plus vite possible et envoie tes histoires drôles à :

CONCOURS HISTOIRES DRÔLES
Les éditions Héritage inc.
300, rue Arran
Saint-Lambert (Québec)
J4R 1K5

Nous avons hâte de te lire!
                    À très bientôt donc!

ACHEVÉ   D'IMPRIMER
EN   MAI   1997
SUR LES PRESSES DE
PAYETTE & SIMMS INC.
À SAINT-LAMBERT (Québec)